LES ÉDITIONS DE LA PASTÈQUE

En voiture ! L'Amérique en chemin de fer
© Pascal Blanchet. Tous droits réservés. 2016
© Les Éditions de la Pastèque.

Les Éditions de la Pastèque
C.P. 55062 CSP Fairmount
Montréal (Québec) H2T 3E2
Téléphone : 514 627-1585
www.lapasteque.com

Infographie : Martin Brault et Stéphane Ulrich
Révision : Séraphine Menu, Mathieu Leroux et Sophie Chisogne

Dépôt légal : 4e trimestre 2016
Bibliothèque et Archives nationales du Québec
Bibliothèque et Archives Canada
ISBN 978-2-89777-007-5

Catalogage avant publication de
Bibliothèque et Archives nationales du Québec
et Bibliothèque et Archives Canada

Blanchet, Pascal, 1980-

En voiture ! : l'Amérique en chemin de fer

Pour enfants de 7 ans et plus.

ISBN 978-2-89777-007-5

1. Voyages en train - Amérique du Nord - Ouvrages pour la jeunesse. 2. Transports ferroviaires - Voyageurs - Ouvrages pour la jeunesse. 3. Amérique du Nord - Descriptions et voyages. I. Titre. II. Titre : Amérique en chemins de fer.

HE2561.B52 2016   j385'.22097   C2016-941817-0

1re édition
Imprimé au Canada

Nous reconnaissons l'appui du gouvernement du Canada.
We acknowledge the support of the Government of Canada.

 Conseil des Arts   Canada Council
du Canada   for the Arts

Nous remercions le Conseil des Arts du Canada de son soutien.
L'an dernier, le Conseil a investi 153 millions de dollars pour mettre de l'art dans la vie des Canadiennes et des Canadiens de tout le pays.

We acknowledge the support of the Canada Council for the Arts, which last year invested $153 million to bring the arts to Canadians throughout the country.

Nous reconnaissons l'aide financière du gouvernement du Québec par l'entremise de la Société de développement des entreprises culturelles (SODEC) pour nos activités d'édition.

Gouvernement du Québec – Programme de crédit d'impôt pour l'édition de livres – Gestion SODEC.

Nous reconnaissons l'aide financière du gouvernement du Canada par l'entremise du Fonds du livre pour nos activités d'édition.

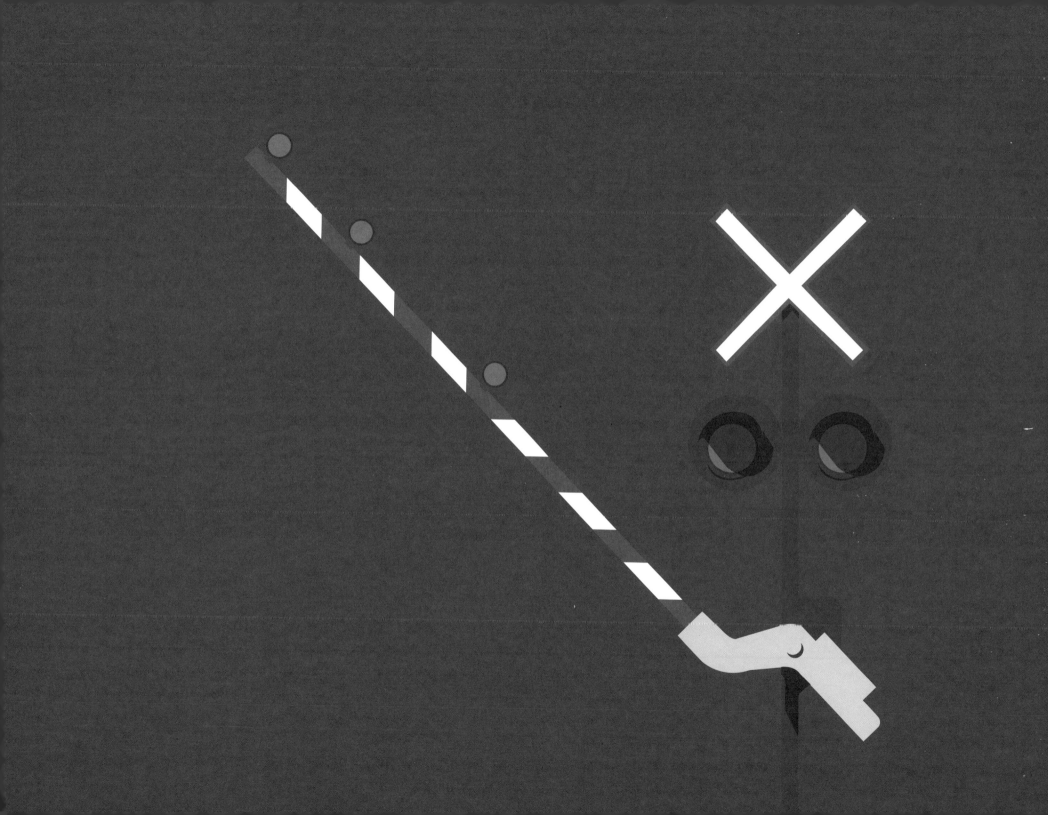

Ce livre appartient à

NOM : _____

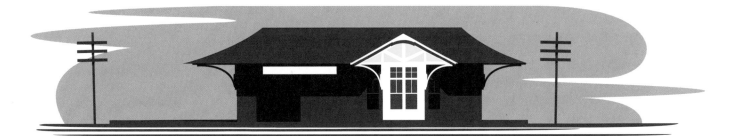

En voiture ! est l'expression utilisée par les conducteurs de train afin de signifier aux passagers « tout le monde à bord, nous partons ». Tous les trains sont composés de wagons, mais on utilise le terme « voiture » pour désigner ceux qui transportent des voyageurs. Avant chaque départ, le conducteur marche le long du quai d'embarquement en criant « EN VOITUUUURE! »

Vous voyagerez à bord de ce livre depuis Montréal jusqu'à Los Angeles, en découvrant les grandes villes et les paysages époustouflants qui ont marqué l'histoire du train de passagers. Préparez vos bagages !

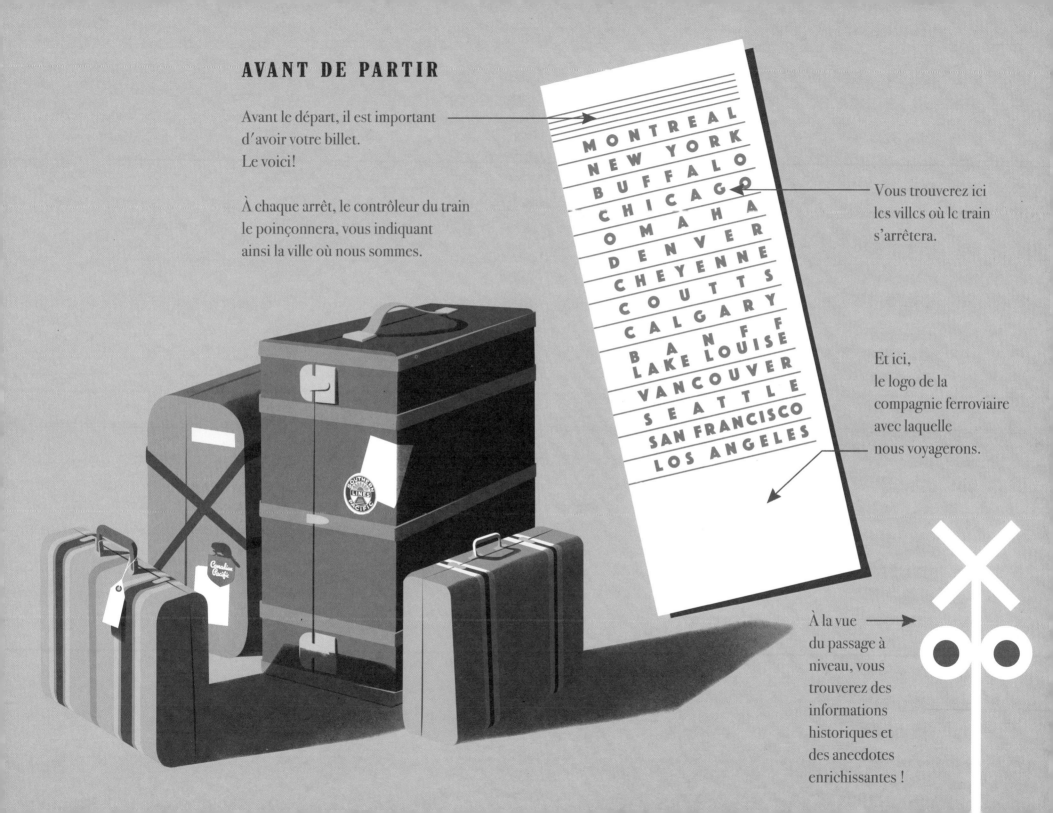

AVANT DE PARTIR

Avant le départ, il est important
d'avoir votre billet.
Le voici!

À chaque arrêt, le contrôleur du train
le poinçonnera, vous indiquant
ainsi la ville où nous sommes.

MONTREAL
NEW YORK
BUFFALO
CHICAGO
OMAHA
DENVER
CHEYENNE
COUTTS
CALGARY
BANFF
LAKE LOUISE
VANCOUVER
SEATTLE
SAN FRANCISCO
LOS ANGELES

Vous trouverez ici
les villes où le train
s'arrêtera.

Et ici,
le logo de la
compagnie ferroviaire
avec laquelle
nous voyagerons.

À la vue
du passage à
niveau, vous
trouverez des
informations
historiques et
des anecdotes
enrichissantes !

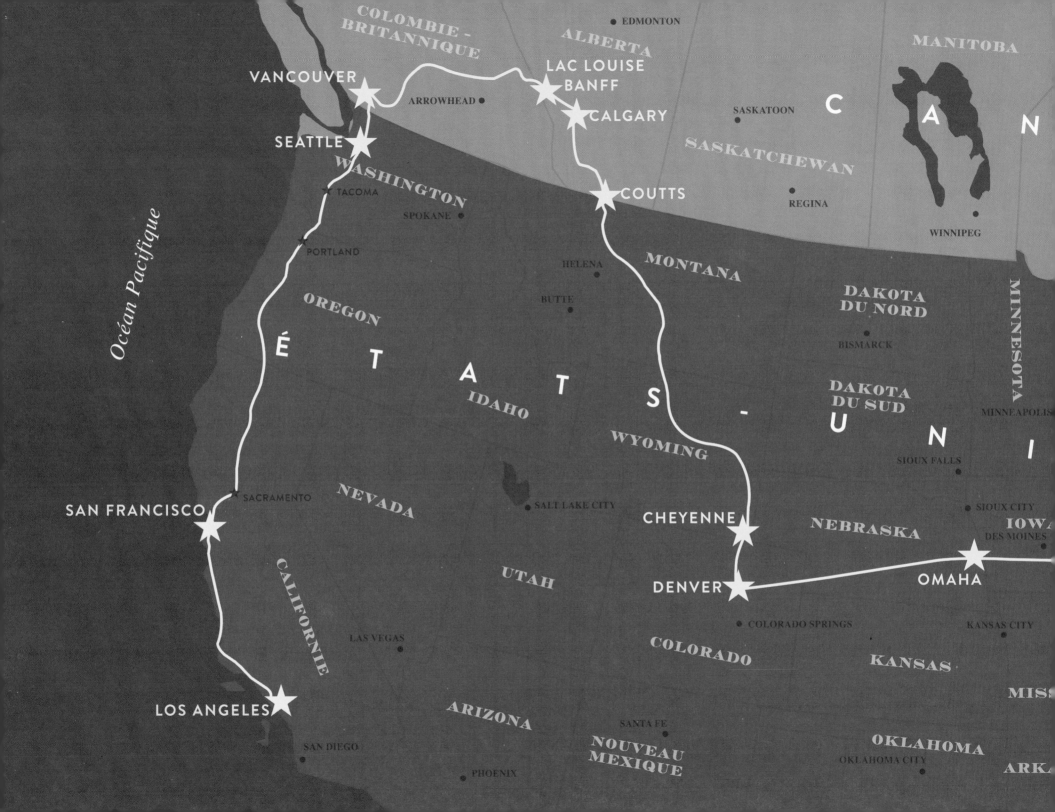

1830

PETER COOPER'S "TOM THUM

TOM THUMB

En 1830, la première locomotive construite en Amérique est mise en service. On la surnomme *Tom Thumb* à cause de sa petite taille, « Tom Pouce » en français. C'est le début de l'histoire du train sur le continent, mais aussi celle du transport de passagers.

BALTIMORE & OHIO R.R.

La
LOCOMOTIVE DORCHESTER

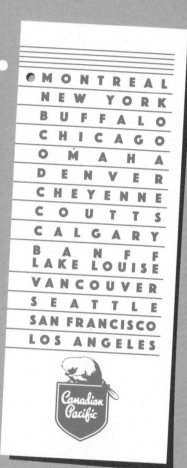

MONTREAL
NEW YORK
BUFFALO
CHICAGO
OMAHA
DENVER
CHEYENNE
COUTTS
CALGARY
BANFF
LAKE LOUISE
VANCOUVER
SEATTLE
SAN FRANCISCO
LOS ANGELES

Canadian Pacific

Notre voyage commence à Montréal. Voici la locomotive Dorchester, celle qui tire le train du premier chemin de fer canadien. Elle fut commandée en Angleterre et financée, entre autres, par le brasseur John Molson. Le projet, inauguré en 1836, avait pour ambition de mettre en service, au Québec, le premier segment d'une ligne de chemin de fer qui relierait Montréal à New York. Plusieurs célèbres passagers ont voyagé dans le convoi mené par la Dorchester ; parmi eux, le grand auteur Charles Dickens — créateur d'Oliver Twist, l'orphelin le plus connu de la littérature britannique.

Prochain arrêt : New York ! En voiture !

Le CHAUFFEUR & LE MÉCANICIEN

Avec les années, la locomotive à vapeur devient plus grosse et se complexifie. C'est pour ces raisons qu'on instaure un standard d'au moins deux personnes chargées de sa conduite : le chauffeur et le mécanicien. Le chauffeur est chargé d'alimenter le feu et s'occupe du dosage de la production de vapeur, tandis que le mécanicien est le conducteur officiel et le chef à bord.

Vous pouvez admirer, à votre gauche, la cabine de la locomotive T1 construite pour la Pennsylvania Railroad. La T1 était rapide et puissante, tellement que des témoins ont dit l'avoir vu rouler à 225 km/h !

Le CHÂTEAU DE BANNERMAN

En chemin vers New York, la voie longe le fleuve Hudson. De votre fenêtre, vous pouvez apercevoir l'île Pollepel, sur laquelle se trouvent les ruines du château de Bannerman.

Construit en 1901 par le marchand d'armes Francis Bannerman VI, le domaine servait de résidence d'été à sa famille, mais aussi d'immense entrepôt d'armes et de munitions.

D'ailleurs, deux cents tonnes d'explosifs ont détruit une grande partie du château en 1920 ! On peut aujourd'hui en visiter les ruines.

La VILLE QUI NE DORT JAMAIS

Nous voici à New York : la cité des extrêmes, le cœur du rêve américain, le symbole d'un continent tout entier ! Cette ville, éveillée vingt-quatre heures sur vingt-quatre, vibre au rythme des spectacles de Broadway et compte l'un des centres financiers les plus importants au monde – Wall Street. C'est une métropole où se trouve aussi la gare la plus fréquentée de l'Amérique : Grand Central Terminal.

La GARE DU COMMODORE

Grand Central Terminal ouvre ses portes en 1871, mais elle est vite détruite et remplacée par un édifice beaucoup plus grand, inauguré le 2 février 1913. Plus de 150 000 visiteurs émerveillés assistent ce jour-là au premier départ, à minuit pile.

Avec ses 44 quais, ses 67 voies et ses 10 étages souterrains – qui couvrent une superficie de 3 hectares –, la majestueuse gare accueille près de 800 trains par jour.

La statue que l'on voit au pied de la gare est celle de Cornelius Vanderbilt, surnommé le Commodore. C'est l'homme d'affaires milliardaire qui a fait ériger Grand Central Terminal. On raconte aussi qu'il est l'inventeur des chips !

Prochain arrêt : Buffalo ! En voiture !

LE PARE-ÉTINCELLES

LE PHARE

LE TOIT

LA CLOCHE

LE CHASSE-BESTIAUX

60

La LOCOMOTIVE AMERICAN

Dès le milieu du 19ᵉ siècle, la conquête du territoire par le chemin de fer apporte de nouveaux défis aux constructeurs de trains.

La locomotive à vapeur de type American est la première conçue pour répondre aux besoins de l'Amérique du Nord. Elle possède une cloche pour signaler sa présence, un puissant phare pour les trajets de nuit, un toit qui abrite le chauffeur et le mécanicien des fortes chutes de neige, un pare-étincelles pour protéger la nature des éventuelles projections de braises hors de la cheminée et un chasse-bestiaux qui empêche les grands troupeaux de bisons d'obstruer la voie.

Sur votre gauche se trouve la locomotive Jupiter, construite en 1868. C'est l'une des plus célèbres locomotives de type American.

Le
CENTRAL TERMINAL DE BUFFALO

Nous arrivons maintenant à Buffalo. Achevé en 1929, le Central Terminal, avec son immense salle d'attente, ses restaurants, sa centrale électrique et sa tour de bureaux de dix-sept étages, figure parmi les plus beaux bâtiments de style Art déco des États-Unis.

Après un demi-siècle de gloire, la gare est cependant victime de la baisse du trafic ferroviaire. Le Lake Shore Limited quitte alors la gare pour une ultime fois le matin du 28 octobre 1979, à 4 h 10.

C'est le dernier train, la fin d'une époque. Le Central Terminal de Buffalo ferme ses portes et tombe rapidement à l'abandon, mais non dans l'oubli.

Prochain arrêt : Chicago ! En voiture !

● MONTREAL
● NEW YORK
● BUFFALO
CHICAGO
OMAHA
DENVER
CHEYENNE
COUTTS
CALGARY
BANFF
LAKE LOUISE
VANCOUVER
SEATTLE
SAN FRANCISCO
LOS ANGELES

Le
TAPIS ROUGE

Le 15 juin 1938, le nouveau 20th Century Limited quitte la gare pour son voyage inaugural sur la ligne New York – Chicago. D'un luxe inégalé, l'engin est digne des films hollywoodiens. Chaque passager est reçu en star et accède au train en marchant sur un somptueux tapis déroulé le long du quai. C'est d'ailleurs grâce à ce train qu'est née la tradition de parader sur le tapis rouge lors de galas et autres grandes occasions.

Entièrement conçu par le designer industriel Henry Dreyfuss, de la locomotive jusqu'à la vaisselle de la voiture-restaurant, ce train est devenu emblématique du confort et de la modernité de son époque.

Les

VOITURES

À partir des années 1860, les compagnies de chemin de fer commencent à s'intéresser au bien-être du voyageur. La demande pour des voitures confortables où il est possible de dormir et de se nourrir devient de plus en plus forte. Sautant sur l'occasion, George Pullman fonde en 1867 la Pullman Palace Car Company, une entreprise spécialisée dans la construction de voitures pour les passagers. D'autres entreprises emboîteront le pas et ce sera le début d'une course folle au confort et à l'opulence.

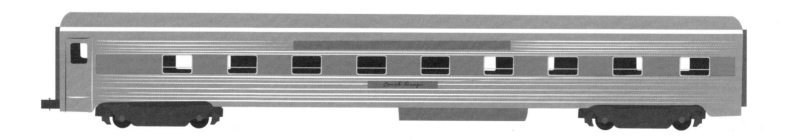

La VOITURE-SALON

Installé dans un fauteuil moelleux, vous pouvez déguster un lait frappé saveur chocolat, vanille ou fraise en regardant défiler le paysage, tout en discutant avec d'autres passagers ou en lisant la dernière édition des journaux du matin. La voiture-salon, avec ses placages de bois exotiques et ses chromes rutilants, vous fait voyager avec style, à plus de 100 km/h.

La VOITURE-RESTAURANT

Poulet du Maryland, côtc de boeuf de l'Ouest, camembert sur pain grillé, pêches à la crème sont au menu ce soir. La voiture-restaurant, avec son chef, ses cuisiniers et ses élégants serveurs, dans son décor d'argenterie et de nappes blanches, présente des repas à la hauteur des grandes institutions culinaires.

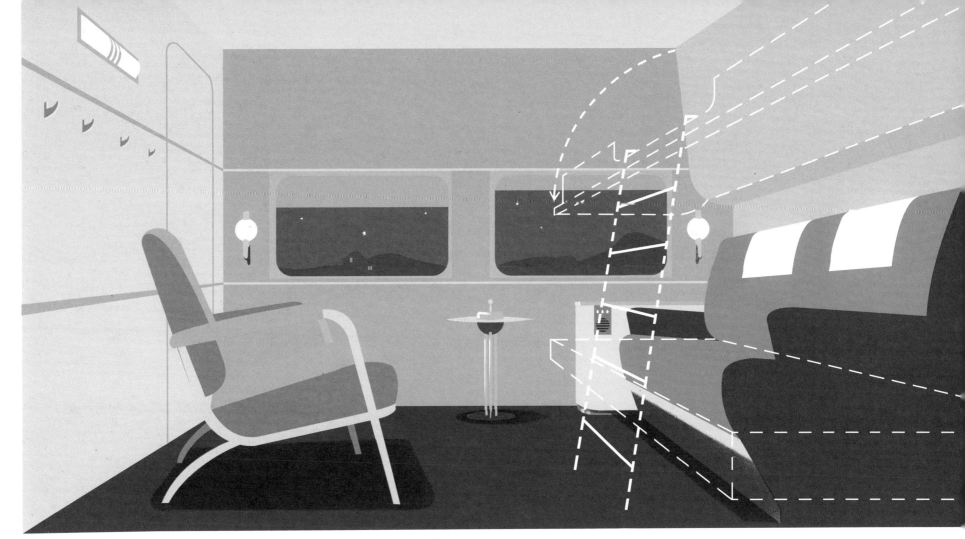

La
VOITURE-LIT

Dans votre compartiment se trouvent une grande banquette, des luminaires de lecture, un cabinet de toilette et une penderie. Le soir venu, le porteur déplie la banquette et ouvre le panneau au-dessus de celle-ci, créant ainsi deux lits confortables où vous pouvez dormir au doux roulis du train.

Voiture de queue / salon d'observation

Voiture voyageurs

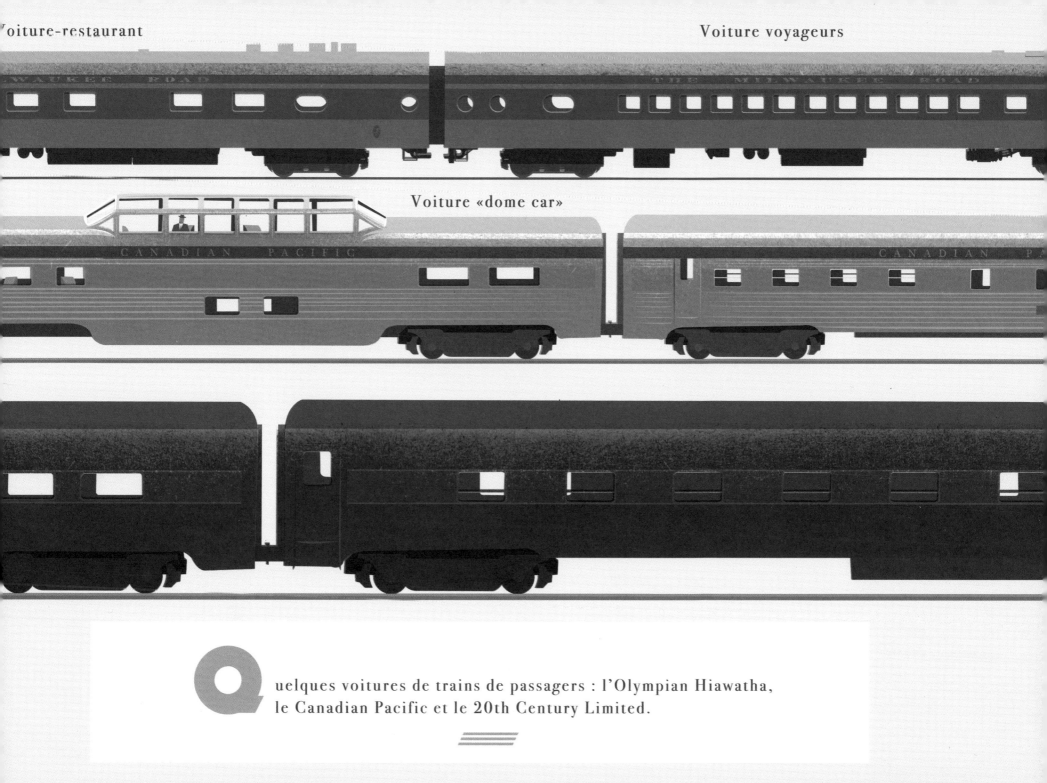

Voiture-restaurant

Voiture voyageurs

Voiture «dome car»

Quelques voitures de trains de passagers : l'Olympian Hiawatha,
le Canadian Pacific et le 20th Century Limited.

La CLASS A

THE MILWAUKEE ROAD

THE *Olympian Hiawatha*

Construite en 1935, la locomotive à vapeur Class A de la Milwaukee Road tire le grand train de luxe Olympian Hiawatha. Dessinée par le célèbre designer Otto Kuhler, elle est la première locomotive de l'Histoire à dépasser la vitesse de 180 km/h.

La
ROYAL HUDSON

Le
TURBO TRAIN

Les
LÉGENDAIRES

Parmi les plus belles et légendaires locomotives de l'Amérique du Nord, on retrouve la locomotive à vapeur Hudson du Canadian Pacific, qui est construite en 1938 dans les ateliers de la Montreal Locomotive Works. C'est l'année suivante que la Hudson acquiert son titre de « royale » en tirant le train de George VI, roi d'Angleterre, en visite au Canada. Avec son design futuriste, le Turbo Train, lancé en 1968 et conçu par la United Aircraft Corporation, est une autre locomotive qui marque l'imaginaire. Portant bien son nom, le Turbo Train atteint jusqu'à 226 km/h !

Les
PORTEURS PULLMAN

Après la guerre de Sécession en 1865, la compagnie Pullman engage à bord de ses trains les esclaves noirs désormais « libres ». Ces employés sont baptisés *Pullman Porters*. Leurs conditions de travail sont très difficiles : ils effectuent des tâches ingrates et fatigantes à longueur de journée et ne bénéficient que de très brefs instants de repos. Les trains passagers de luxe sont l'équivalent d'hôtels roulants, et c'est grâce à l'excellence du service, à la courtoisie et à l'élégance des porteurs Pullman que les grands trains de l'Amérique du Nord deviendront célèbres et prisés.

En 1925, Asa Philip Randolph crée le premier syndicat noir des États-Unis afin d'améliorer les conditions de travail des porteurs Pullman. Cet événement marque le premier pas du mouvement des droits civiques et de la lutte contre la ségrégation raciale en Amérique.

La
VILLE DES VENTS

Chicago ! Cette ville surnommée « la Ville des vents » – *Windy City* – est située aux abords d'un des cinq Grands Lacs : le lac Michigan. Chicago marque l'imaginaire des gens par ses nombreux gratte-ciel, sa puissance industrielle et son omniprésente musique jazz. C'est aussi la ville du fameux gangster Al Capone, celle d'un des plus célèbres orchestres symphoniques du continent, en plus d'être le lieu de résidence de deux mythiques équipes de baseball : les White Sox et les Cubs.

La
VILLE DU NÉON

MONTREAL
NEW YORK
BUFFALO
CHICAGO
OMAHA
DENVER
CHEYENNE
COUTTS
CALGARY
BANFF
LAKE LOUISE
VANCOUVER
SEATTLE
SAN FRANCISCO
LOS ANGELES

Vancouver, dernier arrêt du transcontinental canadien, est l'un des grands ports de l'océan Pacifique. C'est une des villes les plus cosmopolites du Canada et 86 % de ses immigrants sont d'origine asiatique. C'est aussi un lieu de plein air réputé, grâce à ses parcs grandioses et ses nombreuses réserves fauniques.

Au milieu des années 1920, la folie du néon gagne Vancouver et les enseignes lumineuses apparaissent rapidement dans les restaurants, bars et salles de *bowling*, de même qu'à la gare. En 1953, on en compte déjà plus de 19 000, ce qui correspond à une enseigne pour dix-huit habitants. Aujourd'hui encore, elles continuent de briller dans les rues de la ville.

Et maintenant, direction sud pour le prochain arrêt : Seattle ! En voiture !

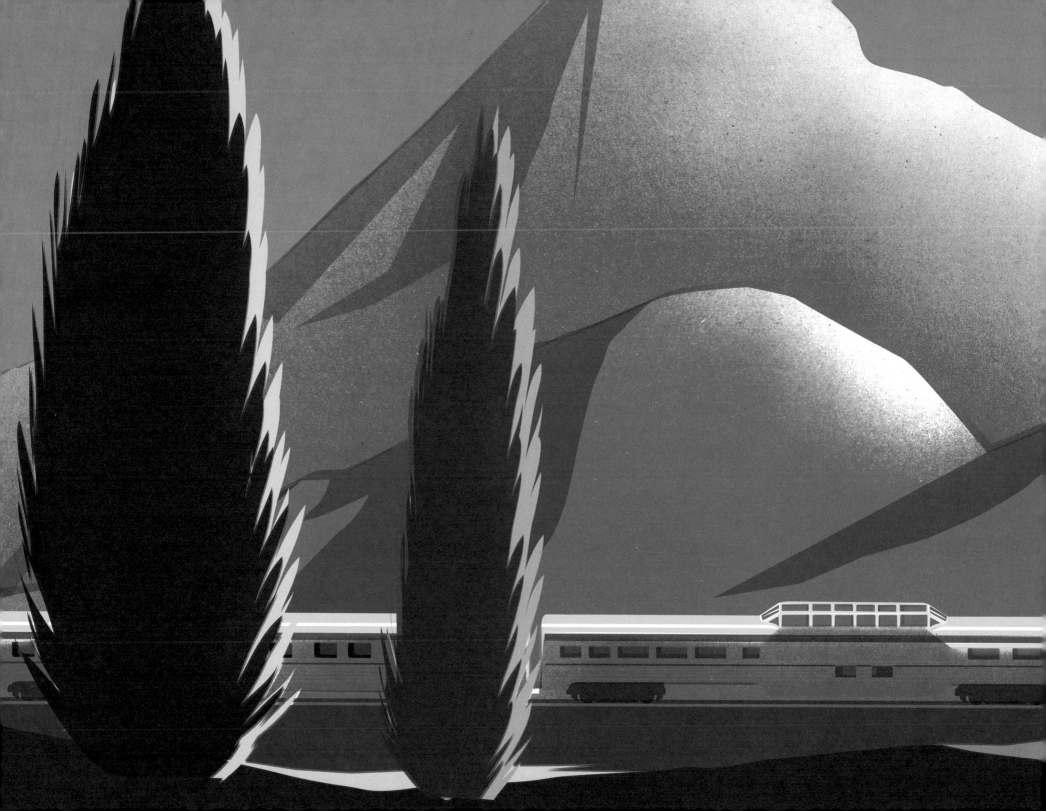

Les
GRANDS HÔTELS DU CHEMIN DE FER

MONTREAL
NEW YORK
BUFFALO
CHICAGO
OMAHA
DENVER
CHEYENNE
COUTTS
CALGARY
BANFF
LAKE LOUISE
VANCOUVER
SEATTLE
SAN FRANCISCO
LOS ANGELES

Canadian Pacific

Les compagnies ferroviaires se rendent rapidement compte du potentiel touristique du chemin de fer, grâce aux extraordinaires paysages que celui-ci parcourt. La construction d'hôtels de luxe débute à travers tout le continent dès 1871. L'industrie du tourisme est née.

Le Banff Springs Hotel, construit en 1888, et le Château Lake Louise, avec ses travaux entamés à la fin du 19e siècle, figurent parmi les plus spectaculaires des palaces érigés par la Canadian Pacific Railroad. Après plus d'un siècle, ils font toujours rêver les touristes en quête de paysages à couper le souffle.

Sur la page de droite, on voit le Banff Springs Hotel, où l'actrice Marylin Monroe a pratiqué son élan au golf; où le musicien Benny Goodman a fait danser les invités de la salle de bal au son de « Swingtime In The Rockies » ; et où Winston Churchill, célèbre ancien premier ministre du Royaume-Uni, a fumé ses légendaires cigares, bien installé sur une chaise Adirondack.

Prochain arrêt : Vancouver ! En voiture !

D'un
OCÉAN À L'AUTRE

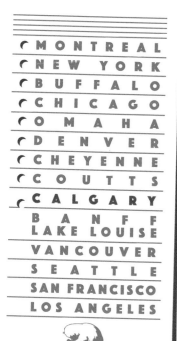

MONTREAL
NEW YORK
BUFFALO
CHICAGO
OMAHA
DENVER
CHEYENNE
COUTTS
CALGARY
BANFF
LAKE LOUISE
VANCOUVER
SEATTLE
SAN FRANCISCO
LOS ANGELES

Canadian Pacific

Calgary !

C'est grâce au chemin de fer transcontinental canadien que les provinces de l'Ouest du pays – le Manitoba, l'Alberta et la Colombie-Britannique – se développent. En novembre 1885, c'est la fête dans tout le pays : le dernier rail est posé à Craigellachie en Colombie-Britannique. Le Canada est désormais relié de l'Atlantique au Pacifique par le chemin de fer.

Sa réalisation a nécessité le travail de milliers d'hommes ; parmi eux, des migrants chinois, employés comme main-d'œuvre bon marché, qui travaillent dans des conditions extrêmement dangereuses.

À cette époque, le voyage fait figure d'expédition et nombreux sont les passagers qui arrivent en retard de plusieurs jours à leur rendez-vous avec, en guise d'excuse, une avalanche !

Prochaine station : Banff !

Le VIADUC DE LETHBRIDGE

Nous traversons maintenant le viaduc de Lethbridge. Construit entre 1907 et 1909 par la Canadian Pacific Railway de Montréal, cet immense pont à tréteaux en acier enjambe la rivière Oldman. D'une longueur de 1624 mètres et d'une hauteur de 95 mètres, c'est un des plus grands ponts ferroviaires au Canada.

Il est toujours utilisé aujourd'hui après plus de cent ans de service.

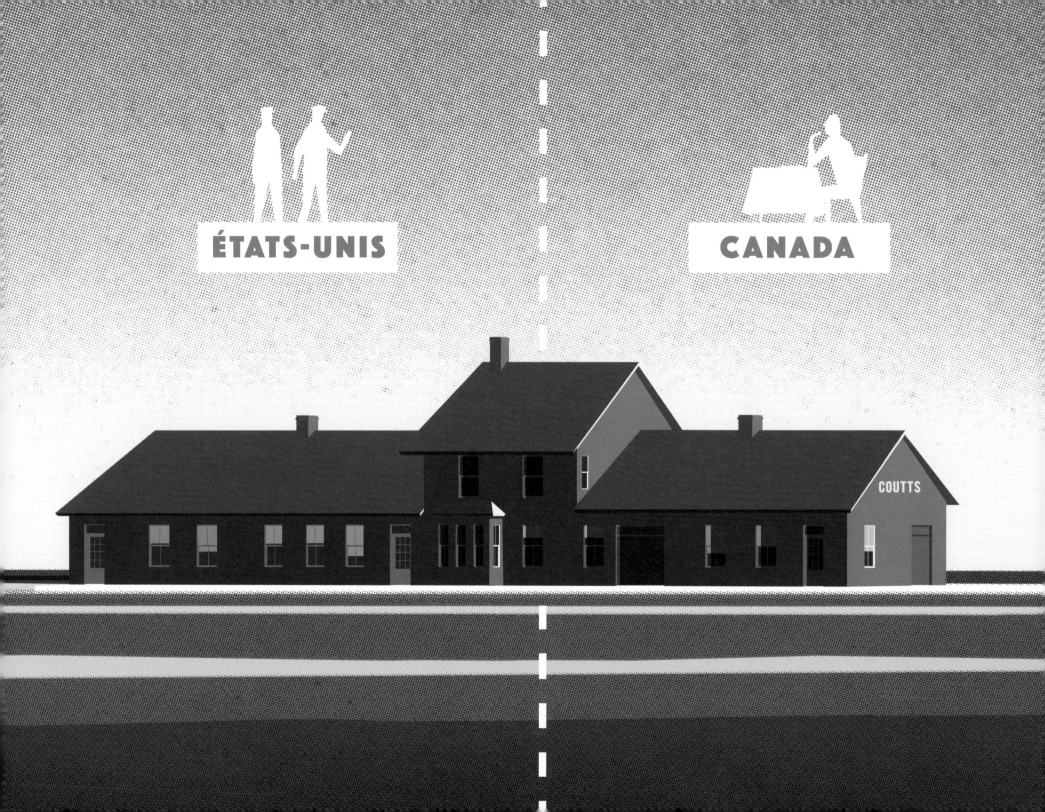

La
FRONTIERE DE COUTTS

MONTREAL
NEW YORK
BUFFALO
CHICAGO
OMAHA
DENVER
CHEYENNE
COUTTS
CALGARY
BANFF
LAKE LOUISE
VANCOUVER
SEATTLE
SAN FRANCISCO
LOS ANGELES

Canadian Pacific

Notre train s'arrête à Coutts, en Alberta. Construite en 1890, cette gare sert de douane entre les États-Unis et le Canada. Une ligne peinte au sol traverse la salle à manger de la gare et indique l'emplacement de la frontière séparant les deux pays.

La légende veut qu'un homme qui était poursuivi par les douaniers américains ait calmement pris son repas dans la partie canadienne de la gare, après avoir enjambé la ligne de la frontière. Les douaniers, n'ayant pas le droit de passer de l'autre côté, sont restés impuissants à regarder le fuyard attablé.

Le CHEVAL DE FER

MONTREAL
NEW YORK
BUFFALO
CHICAGO
OMAHA
DENVER
CHEYENNE
COUTTS
CALGARY
BANFF
LAKE LOUISE
VANCOUVER
SEATTLE
SAN FRANCISCO
LOS ANGELES

UNION PACIFIC

Bienvenue à Cheyenne !

C'est ici que vivait, à l'époque, une des plus grandes nations amérindiennes du continent : les Cheyennes, précisément. Ils se partageaient le territoire avec les Lakotas (une tribu sioux) et les Arapahos. Les peuples autochtones chassaient le bison des prairies pour se nourrir ; on en dénombrait plus de dix millions dans ces plaines. Avec l'arrivée du chemin de fer et de l'homme blanc, d'incessantes guerres commencent : ils repoussent les Amérindiens afin de faciliter la construction du transcontinental ; ils abattent en plus presque tous les bisons d'Amérique du Nord, laissant ainsi les Premières Nations affamées et sans ressources.

L'expression « cheval de fer » viendrait du nom donné aux premiers trains par les nations amérindiennes.

Coutts est notre prochain arrêt.

Le BURLINGTON-ZÉPHYR

Voici Denver !
Le train reliant Chicago à Denver
semble tout droit sorti du futur, mais il a en
réalité été mis en service en 1934. Le Zéphyr
est le premier train aérodynamique d'Amérique ;
il est aussi le premier propulsé par une
locomotive diesel. Sa carrosserie faite d'acier
inoxydable gris lustré le rend beaucoup plus léger
que les autres, donc beaucoup plus rapide.
L'engin porte le surnom de *Silver Streak*
— « la traînée d'argent ».

Les BANDITS DE BLACK HILLS

Durant la soirée du 18 septembre 1877, un train de la Union Pacific Railroad s'arrête à la gare de Big Spring dans le Nebraska. Sam Bass et sa bande, surnommés les bandits de Black Hills, en profitent pour braquer le train et y découvrent, dans des caisses, la somme de 60 000 dollars en pièces d'or – l'équivalent de 1,5 million aujourd'hui ! Les escrocs pillent l'argent et dérobent les passagers avant de prendre la fuite. Cette nuit de 1877 est ainsi marquée par le plus grand vol à bord d'un train de l'histoire des États-Unis. En fin de compte, les nombreux braquages de trains et de diligences de Sam Bass ont fait de lui l'un des plus célèbres hors-la-loi du Far West américain.

Le
TRANSCONTINENTAL

MONTREAL
NEW YORK
BUFFALO
CHICAGO
OMAHA
DENVER
CHEYENNE
COUTTS
CALGARY
BANFF
LAKE LOUISE
VANCOUVER
SEATTLE
SAN FRANCISCO
LOS ANGELES

Burlington
Route

Omaha !
Le premier chemin de fer transcontinental a été construit de 1863 à 1869, reliant enfin l'Est et l'Ouest des États-Unis – une distance de plus de 5000 km.

Au début des travaux, l'Est des États-Unis est déjà doté de rails se rendant jusqu'à Omaha, dans l'état du Nébraska. La construction du transcontinental commence simultanément dans cette ville et à Sacramento, en Californie. Les deux chantiers se rejoignent le 10 mai 1869 à Promontory Summit, dans l'Utah. Deux trains bondés de dignitaires sont envoyés, l'un venant de l'Est, l'autre arrivant de l'Ouest, pour se rencontrer à l'endroit où le dernier clou du chemin de fer est enfoncé. L'occasion donne lieu à la cérémonie du Golden Spike, le clou d'or, qui célèbre donc ainsi l'ouverture du transport ferroviaire d'une côte à l'autre.

Sur l'image, on remarque la poignée de main historique entre Samuel S. Montague (à gauche) et Grenville M. Dodge (à droite) – les deux ingénieurs en chef qui étaient respectivement en charge des équipes du Central Pacific et de la Union Pacific Railroads.

La CONQUÊTE DE L'OUEST

u milieu des années 1800, le Canada et les États-Unis se lancent dans l'une des plus redoutables aventures de l'histoire de l'Amérique du Nord : la conquête de l'Ouest.

À cette époque, seul l'Est du pays est colonisé, tandis que l'Ouest demeure à l'état sauvage. Entre 1840 et 1860, plus de 300 000 Américains franchissent les 3200 km qui les séparent de la Californie, avec un seul espoir en tête : celui qu'une vie meilleure les attend sur la côte du Pacifique. Le périple de près de quatre mois se fait à bord de carrioles recouvertes de toiles et tirées par des bœufs.

Heureusement, la construction du chemin de fer transcontinental réduit la durée du voyage à une semaine.

La VOIE DU JAZZ

C'est en voyageant en train, via la gare de LaSalle Street, que les musiciens de La Nouvelle-Orléans arrivent à Chicago. À partir des années 20, le jazz devient la musique emblématique de la ville. Parmi les grands artistes à s'être produits dans la Ville des vents, on retrouve le trompettiste Louis Armstrong et le cornettiste Bix Beiderbecke. La légende murmure que certains soirs brumeux, on entend encore résonner le cornet de Beiderbecke le long de la promenade du lac Michigan.

Prochain arrêt : Omaha ! En voiture !

Le MONT RAINIER

MONTREAL
NEW YORK
BUFFALO
CHICAGO
OMAHA
DENVER
CHEYENNE
COUTTS
CALGARY
BANFF
LAKE LOUISE
VANCOUVER
SEATTLE
SAN FRANCISCO
LOS ANGELES

GREAT NORTHERN RAILWAY

Seattle !
Profitons de notre passage ici pour aller voir le plus grand volcan des États-Unis : le mont Rainier.

Cette montagne de la chaîne des Cascades, qui culmine à près de 4400 mètres d'altitude, est un géant qui n'est pas aussi endormi qu'il en a l'air... En effet, ce volcan est toujours en activité et il est surveillé de près par les géologues. Le mont Rainier est le pic où l'on retrouve le plus de neiges éternelles aux États-Unis et il a près de trois millions d'années !

Prochain arrêt : San Francisco ! En voiture !

La BAIE DE SAN FRANCISCO

San Francisco, Californie ! La ville aux rues en pentes raides ; celle où l'on retrouve de magnifiques maisons victoriennes colorées devant lesquelles passent les *cable cars* – les tramways typiques – chargés de passagers ; là où réside l'une des sept merveilles du monde moderne : le pont Golden Gate.

Ouvert à la circulation en 1937 et aujourd'hui emblématique de la côte Ouest des États-Unis, le Golden Gate est l'un des plus longs ponts suspendus au monde. Il relie San Francisco à la ville de Sausalito et a été peint de la couleur « orange international », obtenue par l'application d'une couche spéciale de protection anticorrosion. À l'origine, cette couleur n'était que provisoire, mais le pont est resté ainsi pour que l'on puisse l'apercevoir de loin, même au coeur de la brume qui enveloppe fréquemment la ville.

Nous prenons maintenant place à bord du Daylight Limited en direction de notre dernier arrêt : Los Angeles ! En voiture !

Le DAYLIGHT LIMITED

En 1937, le nouveau train express Daylight Limited (un train au design aérodynamique) s'élance sur les rails reliant San Francisco et Los Angeles, en longeant la côte Pacifique et ses paysages gorgés de soleil.

Cette locomotive marque l'Histoire par la beauté de ses lignes, ses couleurs vives, et par l'impression de puissance qu'elle dégage. Ce train si cher aux Californiens est resté en service jusqu'en 1974.

La
GARE UNION STATION DE LOS ANGELES

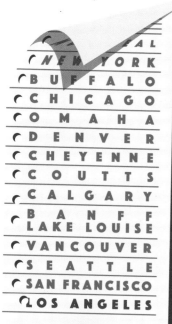

Nous arrivons à destination : Los Angeles, la cité des anges ! La Union Station, construite en 1939, évoque, avec sa tour et ses toits de tuiles, les racines espagnoles de la côte Ouest américaine. Elle compte parmi les plus belles gares des États-Unis.

Los Angeles s'étend sur 129 000 hectares. Elle est considérée comme le berceau du cinéma ; c'est ici que Charlie Chaplin a fait ses premiers films et que toutes les stars se bousculent aux portes du Chinese Theatre chaque année pour la remise des Oscars. Los Angeles, avec ses montagnes, ses déserts et ses légendes, ne cesse de fasciner et de faire rêver.

TERMINUS!
TOUT LE MONDE DESCEND!

Voilà, c'est ici que s'achève notre périple.
Ce fut un plaisir de voyager avec vous
et nous espérons vous revoir bientôt à bord!

FIN

En voiture ! L'Amérique en chemin de fer de Pascal Blanchet a été achevé d'imprimer en octobre 2016
par l'imprimerie Friesens au Manitoba, pour le compte de La Pastèque, éditeur de livres depuis 1998.

CHERCHE et TROUVE

○ Un pêcheur   Un appareil photo ○

○ Une chaise Adirondack   5 voiliers ○

○ Un tonneau   Une automobile ○

○ Un livre ouvert   Un bateau de croisière ○

○ 6 horloges   Un cactus ○

○ Une marmite   3 taxis ○

○ Un bison   4 nœuds papillon ○

○ Une valise   Un banjo ○

○ Un castor   Un bouquet de fleurs ○